Cynnwys

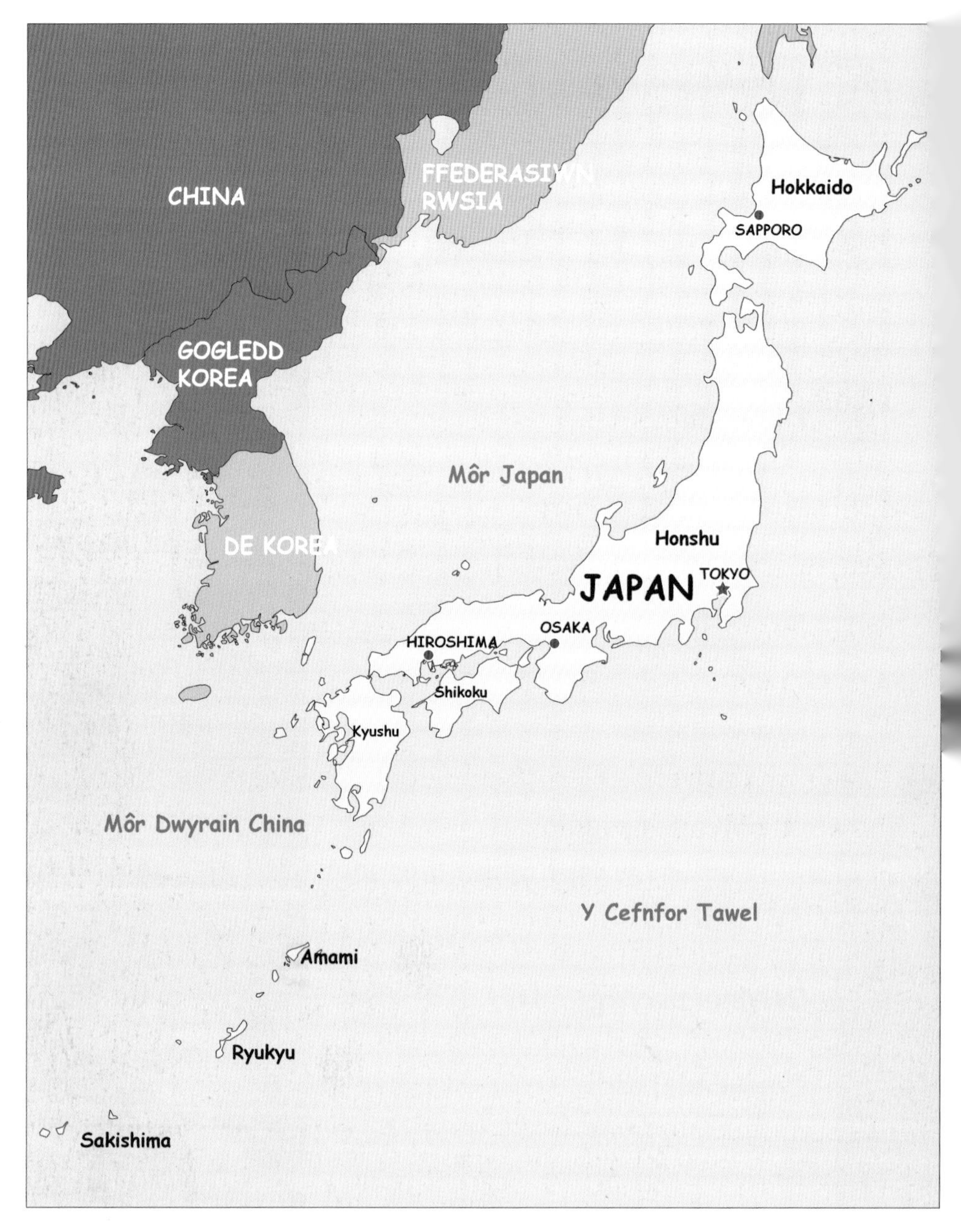

Mae Japan yn wlad hir iawn.

Mae pedair prif ynys – Hokkaido, Honshu, Shikoku, Kyushu – a nifer o ynysoedd bach.

日本の全景

GOLWG AR JAPAN

LORENS GŴYR

BRECHDAN INC

Argraffiad cyntaf – 2007

ISBN 978-1-84323-617-5

Cynllun y gyfres: mo-design.com

Lluniau o *Daisuke o Japan* ar t.14,16 a 17 wedi ymddangos yn wreiddiol yn *Japanese Family* gan Judith Elkin a Stuart Atkin, cyhoeddwyd gan ABC Black. Diolch i JNTO — www.seejapan.co.uk.

Diolch i Kevin Green am y lluniau ar t.17 a 24.

Noddwyd gan Lywodraeth Cynulliad Cymru

Argraffwyd yng Nghymru gan Wasg Gomer, Llandysul, Ceredigion SA44 4JL
www.gomer.co.uk

Mae dinasoedd mawr fel Tokyo, prifddinas Japan, ac Osaka, lle mae llawer o bobl yn byw.

Mae mynyddoedd a fforestydd hefyd. Does dim llawer o bobl yn byw yno .

Y Tywydd

Achos bod Japan yn wlad hir, mae'r tywydd yn Hokkaido, yn y gogledd, ac ynysoedd Ryukyu a Kyushu yn y de, yn wahanol iawn.

Yn Hokkaido, mae hi'n oer iawn yn y gaeaf. Mae llawer o fynyddoedd, fforestydd a llynnoedd yno ac mae lleoedd da i sgïo yno.

OND

- Ar ynysoedd Ryukyu, mae'n bosibl gwisgo **crys T** ar **y stryd** ar ddydd Nadolig!

Ym mis Chwefror, mae Gŵyl Eira yn Sapporo, dinas fwyaf Hokkaido, ac mae gwyliau rhew mewn trefi eraill hefyd.

Cerfluniau iâ

Rhai lleoedd pwysig

Tokyo

Tokyo ydy prifddinas Japan ac mae hi'n un o ddinasoedd mwyaf y byd. Yma, mae llawer o sinemâu, tai bwyta, clybiau nos, theatrau a siopau – a ***Disneyland*** hefyd.

Tokyo yn y nos

Mae llawer iawn o'r adeiladau yn newydd ond mae rhai hen adeiladau hefyd. Mae tŵr teledu yma sy'n edrych fel y Tŵr Eiffel yn Ffrainc.

Hen adeilad yn Tokyo

Tŵr teledu Tokyo

Mynydd Fugi

Mynydd Fuji

Mynydd Fuji ydy'r mynydd uchaf yn Japan (3,776 metr).

Llosgfynydd oedd Mynydd Fuji ond dydy e ddim wedi ffrwydro ers 1707. Mae Mynydd Fuji yn barc cenedlaethol ac mae llawer o lynnoedd a fforestydd yma.

Mae'r mynydd yn agos i ddinas Tokyo – mae'n bosibl gweld Mynydd Fuji o Tokyo ar ddiwrnod clir. Mae llawer o bobl yn mynd yno yn yr haf.

Mynydd Fuji a Dinas Tokyo

Dinas Hiroshima heddiw

Hiroshima

Mae Hiroshima, ar ynys Honshu, yn lle pwysig iawn.

Ymа, am 8.15 y bore, ar Awst 6 1945, ffrwydrodd y bom atomig cyntaf. Buodd dros 100,000 o bobl farw ar unwaith a buodd miloedd o bobl eraill farw wedyn.

Dôm Hiroshima

Mae adeiladau newydd yn y ddinas nawr ond mae'r dôm yn y ddinas yn gwneud i ni gofio am y bomiau atomig ac mae'n gwneud i ni weld bod rhyfel niwclear yn ofnadwy.

Byw yn Japan

Cartrefi

Mae byw yn Japan yn wahanol iawn i fyw yng Nghymru.

Cyn mynd i mewn i dŷ yn Japan, rhaid i chi dynnu'ch esgidiau a gwisgo sliperi.

Does dim carpedi fel arfer ond mae matiau arbennig o'r enw *tatami*. Rhaid i chi dynnu'ch sliperi i fynd ar y *tatami*.

Yn y nos, mae pobl yn rhoi matresi neu *futons* ar y *tatami* ac maen nhw'n cysgu ar y matresi yma.

Yn y lolfa, mae bwrdd isel o'r enw *kotatsu*.

Yn y gaeaf, mae'n bosibl cynhesu'r bwrdd – i gadw'ch coesau a'ch traed chi'n gynnes.

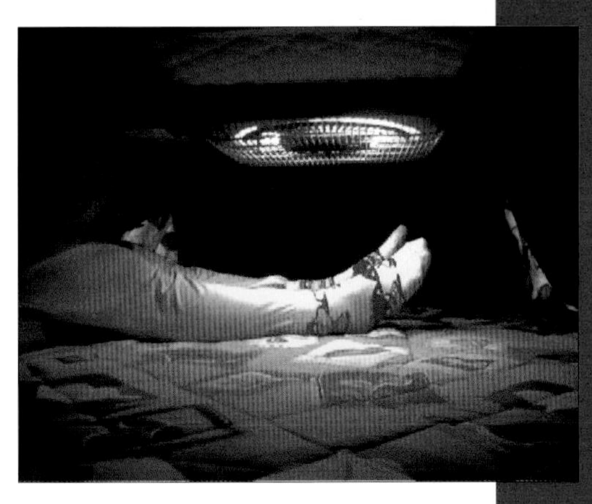

Mae ceginau Japan yn fach. Fel arfer, mae dau gylch nwy yn y gegin i goginio.

Mae pobl Japan yn ffrio neu'n stemio'r bwyd neu maen nhw'n bwyta bwyd heb ei goginio. Hefyd, maen nhw'n coginio bwyd ar blât poeth wrth y bwrdd.

Coginio ar blat poeth

Mae'r bath yn wahanol iawn hefyd. Yn Japan rhaid ymolchi mewn cawod cyn mynd i'r bath a rhaid golchi'r sebon i ffwrdd cyn mynd i mewn i'r bath i ymlacio. Mae pawb yn y teulu yn defnyddio'r un dŵr yn y bath.

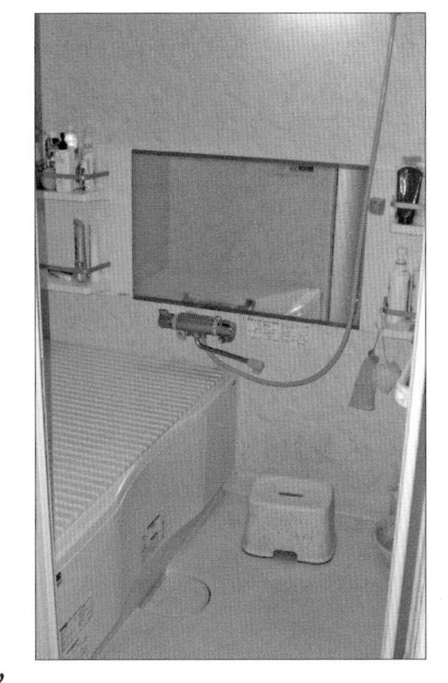

Mae'r toiled ar wahân i'r ystafell ymolchi. Fel arfer, rhaid gwisgo sliperi gwahanol i fynd i'r toiled. Rhaid cofio newid sliperi bob tro.

Mynd i'r Ysgol

Yn Japan mae plant yn dechrau'r ysgol yn 6 oed. Mae'n bosibl gadael yr ysgol yn 15 oed ond does dim llawer o bobl ifanc yn gwneud hyn.

Gwisg Ysgol yn Japan

Dyma enwau'r ysgolion a'r colegau yn Japan:

- Shogakko – Ysgol Gynradd 6–12 oed
- Chugakko – Ysgol Uwchradd 12–15 oed
- Kotogakko – Ysgol Uwch 15–18 oed
- Tandai – Coleg Addysg Bellach 15+
- Daigaku – Prifysgol 18+

Mae ysgolion Japan yn wahanol iawn i ysgolion Cymru.

- Mae'r ysgol yn dechrau am 8.30 y bore ac yn gorffen am 4.30 y prynhawn, ac mae llawer o ddisgyblion yn mynd i ysgol arall wedyn.
- Mae mwy o ddisgyblion mewn dosbarth, e.e. tua 40 mewn rhai dosbarthiadau.
- Rhaid i'r disgyblion dynnu eu hesgidiau a gwisgo sliperi yn yr ysgol.
- Mae'r disgyblion yn aros yn yr un dosbarth ac mae'r athrawon yn symud o ddosbarth i ddosbarth.
- Mae'r disgyblion yn gallu bwyta eu cinio yn yr ystafell ddosbarth.

Gwers ymarfer corff

- Ar ôl gorffen gwersi, mae'r disgyblion yn glanhau'r ysgol eu hunain.
- Mae'r flwyddyn ysgol yn dechrau ym mis Ebrill ac mae'n gorffen ym mis Mawrth.

Glanhau'r ysgol

- Mae'r disgyblion yn mynd i'r *kotogakko* yn 15 oed – seremoni raddio ym mis Mawrth ar gyfer pobl ifanc sy'n gadael yr ysgol.
- Mae'r disgyblion yn dod â *bento* (bocs bwyd) i'r ysgol yn aml.

Amser cinio

Darllen ac ysgrifennu Japaneg

Dydy dysgu siarad Japaneg ddim yn rhy anodd ond mae dysgu darllen ac ysgrifennu Japaneg yn gallu bod yn anodd. Mae'n bosibl ysgrifennu mewn tair ffordd wahanol mewn Japaneg:

Hiragana: Mae pobl yn defnyddio **Hiragana** i ysgrifennu geiriau Japaneg, e.e.

からて	ka-ra-te
すし	su-shi
きもの	ki-mo-no
さむらい	sa-mu-ra-i

Katakana: Mae pobl yn defnyddio **Katakana** i ysgrifennu geiriau o ieithoedd eraill, e.e.

トイレ to-i-re (toiled)

レストラン re-su-to-ra-n (tŷ bwyta)

カーディフ Ka-di-fu (Caerdydd)

ウェールズ Ue-ru-zu (Cymru)

Arwydd Macdonalds mewn Katakana

Kanji: Mae **Kanji** yn anodd iawn. Mae miloedd o symbolau ac mae un symbol yn gwneud gair. Yn yr ysgol, mae disgyblion yn dysgu tua dwy fil o symbolau. Dyma'r symbolau cyntaf maen nhw'n dysgu:

山	yama / mynydd
川	kawa / afon
田	ta / cae reis
人	hito / person
森	mori / fforest
日本	Nihon/Japan

Mae'n bosibl ysgrifennu popeth mewn llythrennau Rhufeinig neu **Romaji** hefyd. Mae disgyblion ysgol yn dysgu Romaji yn eu gwersi Saesneg.

Mae'n bosibl defnyddio hiragana, katakana a kanji mewn un frawddeg. Dyma enghraifft:-

私はウェールズに住んでいます。

Watashi wa Ueruzu ni sundeimasu.

Rydw i'n byw yng Nghymru.

Teithio

Trenau

Mae'r trenau yn Japan yn dda iawn. Maen nhw'n gyflym, yn lân a dydyn nhw ddim yn hwyr fel arfer, ond maen nhw'n ddrud. Yn Japan, mae rhai o'r trenau mwyaf cyflym yn y byd – y trenau bwled neu'r *shinkansen*. Mae rhai trenau yn mynd 300 km yr awr.

Bysiau

Mae'r bysiau yn y trefi yn dda iawn ac mae bysiau'n rhedeg rhwng y dinasoedd fel ym Mhrydain. Dydyn nhw ddim mor ddrud.

Awyrennau

Mae'n bosibl mynd i bob man yn Japan mewn awyren.

Traffyrdd

Fel ym Mhrydain, mae tagfeydd traffig yn digwydd yn aml. Rhaid talu i fynd ar y traffyrdd.

Fferis

Dyma'r ffordd fwyaf hamddenol o deithio yn Japan ac mae lle i geir ar y fferis. Mae gwasanaeth fferi o Hokkaido yn y gogledd i lawr i ynysoedd Ryukyu yn y de ac ynysoedd bach eraill.

Gwyliau Pwysig

Mae llawer o wyliau yn Japan trwy'r flwyddyn.

Y Flwyddyn Newydd – Ionawr 1 – 3

Dyma'r gwyliau mwyaf pwysig yn Japan. Am hanner nos, mae pobl yn mynd i weddïo mewn temlau. Maen nhw'n gweddïo am lwc dda drwy'r flwyddyn ac maen nhw'n aros i weld yr haul yn codi. Mae pobl Japan yn gweithio ar ddydd Nadolig ond maen nhw'n cael gwyliau o ddiwedd Rhagfyr i 3 Ionawr.

Mae'r gloch yma yn Kyoto. Dyma'r gloch fwyaf yn Japan. Ar ddydd Calan mae'n cael ei chanu. Mae eisiau 17 person i symud y darn pren.

Seijin no Hi – Yr ail ddydd Llun o fis Ionawr

Dyma pryd mae bechgyn a merched 20 oed yn dod yn oedolion yn Japan. Wedyn maen nhw'n gallu pleidleisio, priodi ac yfed alcohol.

Setsubun – Dechrau'r gwanwyn – 3 Chwefror

Yn yr Ŵyl yma, mae pobl Japan yn taflu ffa er mwyn cael gwared ar anlwc. Pan maen nhw'n taflu'r ffa, maen nhw'n gweiddi "oni wa soto, fuku wa uchi". "Mae'r diafol allan ac mae lwc dda i mewn".

Dydd Ffolant – 14 Chwefror

Mae dydd Ffolant ar 14 Chwefror, fel ym Mhrydain, ond yn Japan dim ond merched sy'n rhoi cardiau a siocledi i ddynion ar y diwrnod yma. Mae dynion yn rhoi cacennau a siocledi i ferched ar 14 Mawrth – dyma'r **Dydd Gwyn**.

Gwyliau yn yr Haf

Yn yr haf, mae llawer o wyliau yn Japan. Dyma luniau o Ŵyl Haf.

Shichi-go-san – 15 Tachwedd

Dyma pryd mae plant 3 oed, 5 oed a 7 oed yn cael seremoni bendithio mewn addoldy. Mae merched yn mynd i'r seremoni pan maen nhw'n 3 oed a 7 oed ac mae bechgyn yn mynd pan maen nhw'n 5 oed. Mae'r bechgyn yn gwisgo *hakama* ac mae'r merched yn gwisgo *kimono*.

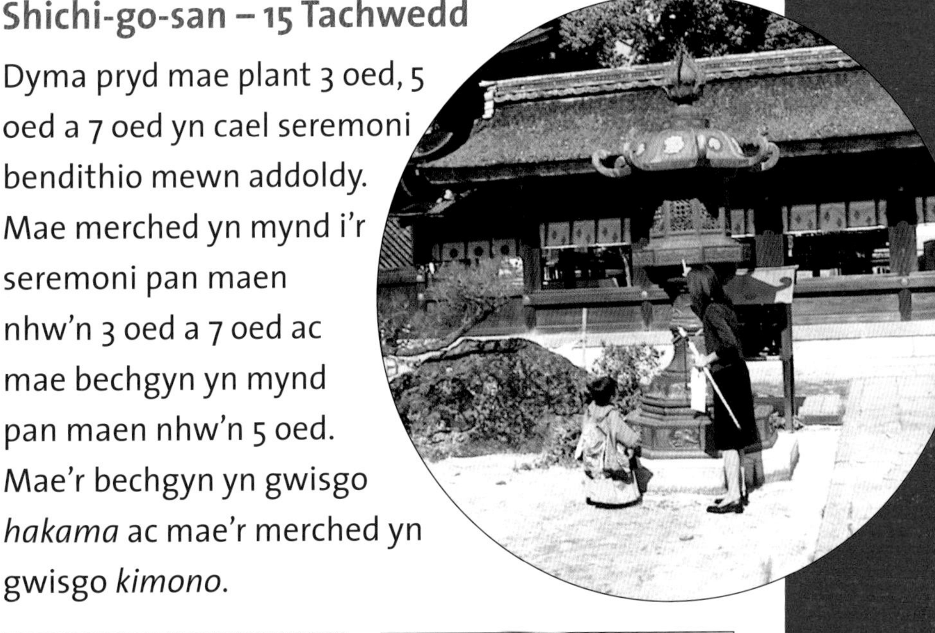

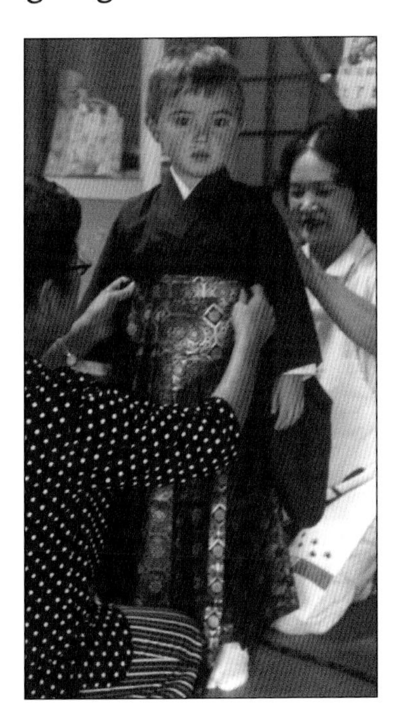

Cymru yn Japan

Heddiw, mae llawer o ffatrïoedd Japaneaidd yng Nghymru. Mae llawer o deuluoedd Japaneaidd yn byw yng Nghymru achos y ffatrïoedd ac mae ysgol Japaneaidd yng Nghaerdydd.

Mae mwy a mwy o Gymry yn mynd i Japan hefyd – am wyliau, ar fusnes neu i weithio.

- Yn Japan, mae Cymdeithas Gymreig (Cymdeithas Dewi Sant) a Chylchoedd Siarad Cymraeg.

- Mae athrawon yno wedi ysgrifennu llyfrau i ddysgu Cymraeg trwy Japaneg ac maen nhw wedi cyfieithu'r Mabinogi, hen, hen chwedlau Cymraeg, i Japaneg.

- Mae mwy o Japaneaid yn dod i wybod am Gymru fel gwlad arall gyda'i hiaith a'i diwylliant ei hun ac mae hyn yn beth da, wrth gwrs.